INTRIGUE À QUÉBEC

G. ROBERT McCONNELL

INTRIGUE À QUÉBEC

TABLE DES MATIÈRES

PHOTOS

Gouvernement du Québec — Direction générale du tourisme :
Couverture et pages 2, 27, 31, 34, 36, 37, 38, 43, 44, 50, 59
Gouvernement du Québec — Ministère du Loisir,
  de la Chasse et de la Pêche : pages 14, 15

Jean Pierre Danvoye : pages 6, 9

François Brunelle : pages 10, 16, 18, 22

Gendarmerie royale : page 29, 32

ISBN 0-88510-067-0
9 8 7 6 5 4 3 2 1   8 7 6 5 4 3 2 1 0
88
Dépôt légal, 1er trimestre 1980
Bibliothèque nationale du Canada
et Bibliothèque nationale du Québec

Introduction

This new series of youth-oriented readers is intended for the intermediate student of French. The importance of a strong reading component in a successful French program cannot be overemphasized. And yet, of the four basic language skills — understanding, speaking, reading and writing —, the "receptive" skills of understanding and reading have often tended to be neglected in the beginning and intermediate years of French instruction. The reasons for this have been manifold, ranging from an overemphasis in certain published programs on the "expressive" skills of speaking and writing, to a serious dearth of reading material suited to both the maturity and linguistic level of the developing student of French.

In recent years, however, there has been an increasing awareness of the central role that the passive skills, particularly reading, should play in a well-balanced French program. The new emphasis on reading is based upon the inescapable reality that reading is the specific skill which students of French are most likely to use once their formal instruction in the language has ended. Depending upon the extent of their contact with French during their school years, as adults our students will utilise their reading ability in the language to decipher material ranging from novels and newspapers to menus and roadsigns. Of equal importance, it should be borne in mind that, of the four language skills, reading is the one which is easiest to acquire and which is retained longest.

The action in each of the adventures in the series takes place in a different francophone setting in order to introduce students to the varied cultural, geographic and topographic features of the French-speaking areas of the world.

From a linguistic point of view, extreme care has been taken to create dialogue which is unerringly authentic and yet clearly understandable to the intermediate student of French. The structures employed are limited and carefully controlled, while the lexical load has been lightened by the use of as many cognates as possible.

The books feature copious and varied exercises, as well as a page-by-page and end-of-book lexicon, and are richly illustrated to provide visual stimulus and reinforcement for the adventures.

Each individual title in the series has been piloted by teachers and students prior to publication. Their positive reactions and encouragement have confirmed our belief in the important role this series can play in the development of a viable, balanced program in French as a second language.

G. Robert McConnell

Montréal : le Square Phillips. Monument du roi Edward VII. À l'arrière-plan, la silhouette familière de la place Ville-Marie.

Marc et Guy ont quinze ans. Ils habitent Montréal. Il est deux heures de l'après-midi, le quatre février, mais les garçons ne sont pas à l'école. Ils sont à la gare Centrale. Aujourd'hui, ils vont prendre le train pour la ville de Québec. Avec un groupe de cama- 5
rades, ils vont passer trois jours dans la capitale pendant le carna-
val.

Le carnaval de Québec est très célèbre. Chaque année, il dure dix jours au mois de février. Il attire un demi-million de visiteurs. Parmi ces visiteurs, il y a toujours beaucoup d'élèves de toutes les
régions du Canada. 10

À deux heures et demie, Marc et Guy montrent leurs billets à un agent. Le train est là, mais il est déjà plein d'élèves de Toronto. Ils vont aussi au carnaval de Québec.

Marc et Guy montent dans le train. Après quelques minutes, ils voient deux places libres. Elles sont en face de deux jeunes filles. 15
Une des jeunes filles est petite. Elle a les cheveux blonds. L'autre est un peu plus grande. Elle a les cheveux bruns. Les deux jeunes filles ont environ le même âge que Marc et Guy.

---

attirer — *to attract*
célèbre — *famous*
durer — *to last*   libre — *free*
face : en face de — *across from*   monter — *to get in*
gare (f.) — *station*   parmi — *among*
                         plein — *full*

Exercices

A. **Vrai ou faux ?**
1. Marc et Guy ont quatorze ans.
2. C'est le quatre janvier.
3. Les garçons sont à la gare Centrale.
4. Le train est vide.
5. Marc et Guy voient deux places libres.

B. **Choisissez la réponse juste.**
1. Marc et Guy habitent
   a) Toronto;
   b) Montréal;
   c) Vancouver.
2. Les garçons prennent le train pour
   a) New York;
   b) Montréal;
   c) la ville de Québec.
3. Les places libres sont en face
   a) de deux jeunes filles;
   b) d'un professeur;
   c) d'une vieille dame.

C. **Remplacez les tirets par le mot juste.**
1. Les _____ vont passer trois jours dans la _____ de Québec pendant le _____.
2. Chaque _____, le carnaval dure _____ jours au _____ de février.
3. Une des jeunes _____ est _____; elle a les _____ blonds.

D. **Trouvez dans le texte l'équivalent de :**
1. une journée
2. durant
3. fameux
4. également
5. à peu près

E. Trouvez dans le texte le contraire de :
1. sans
2. jamais
3. peu
4. vide
5. avant

F. Trouvez dans le texte :
1. une partie de la journée
2. un mois de l'année
3. un pays

G. Mettez ces mots en ordre pour former une bonne phrase :
1. garçons / ne / les / pas / sont / à l'école.
2. beaucoup / au / vont / carnaval / d'élèves.
3. à / agent / garçons / les / un / montrent / billets / leurs.

Mini-project

With the aid of an encyclopedia or other reference materials
in your school library, prepare and present to the class a report
on the city of Montreal. Remember to mention such aspects as
history, location, population, major industries, etc.

II

Marc (À une des jeunes filles) :   Est-ce que ces places sont
   réservées ?
La jeune fille aux cheveux blonds :   Pardon ?
Marc (Plus fort):   Ces places.   Sont-elles réservées ?
La jeune fille :   Réservées ?   Oh !   non, non!   5
Guy :   Merci beaucoup.

Marc et Guy s'assoient en face des jeunes filles.

Marc (Aux deux jeunes filles) :   Vous allez aussi à Québec ?
La jeune fille aux cheveux bruns :   Pardon ?
Marc :   Je dis :   vous allez aussi à Québec ?   10
La jeune fille :   Québec ?   Oh !   oui, oui !
Marc :   Je m'appelle Marc.   Mon ami, c'est Guy.   Comment vous
   appelez-vous ?
La jeune fille :   Pardon ?
Marc :   Vos noms.   Comment vous appelez-vous ?   15
La jeune fille :   Oh !   mon nom !   Je m'appelle Claire.
Guy (À la blonde) :   Et toi, comment t'appelles-tu ?
La jeune fille :   Je m'appelle Barbara.
Marc :   D'où êtes-vous ?
Barbara :   Nous sommes de Toronto.   20
Claire : Nous étudions le français à l'école.

---

s'asseoir — *to sit down*
fort : plus fort — *louder*
nom (m.) — *name*

Barbara : Mais nous n'avons pas l'occasion de parler français.

Guy : Mais votre accent est très bon.

Claire : Merci beaucoup. Tu es très gentil.

Marc (Aux deux filles) : Où est-ce que vous allez rester à Québec ? 5

Barbara : Au Château Frontenac.

Marc : Oh ! la la ! Vous êtes riches ! Le Château Frontenac, c'est un grand hôtel très cher.

Claire : Nous sommes avec un groupe de trente élèves. Nous avons un prix spécial. 10

Barbara : Et vous ? Où est-ce que vous allez rester ?

Guy : Au Manoir Louis-Jolliet. C'est un petit hôtel qui n'est pas loin du Château Frontenac.

Claire : Est-ce qu'il y a beaucoup à faire à Québec pendant le carnaval ? 15

Guy : S'il y a beaucoup à faire ? ! Mais c'est un des grands festivals du monde !

Marc : Il y a des festivités chaque jour, le matin, l'après-midi et le soir.

Guy : Il y a le Palais de Glace, des courses en canots, des tournois 20 de hockey, des défilés de nuit, des ...

Marc : Si vous voulez, nous allons être vos guides pour le carnaval.

Barbara : Vraiment ? ! Deux guides ! Mais, c'est fantastique, n'est-ce pas, Claire ? 25

Claire : Oh ! oui, c'est formidable ! Vous êtes très gentils. Avec vous, nous allons apprendre beaucoup de français !

---

apprendre — *to learn*
canot (m.) — *canoe*
cher — *expensive*
défilé (m.) — *parade*
formidable — *great*
gentil — *nice*
loin — *far*

monde (m.) — *world*
nuit (f.) — *night*
Palais (m.) de Glace — *ice palace*
prix (m.) — *price*
tournoi (m.) — *tournament*

Exercices

A. **Vrai ou faux ?**
1. Une des jeunes filles a les cheveux blonds.
2. Les jeunes filles vont à Québec.
3. Les jeunes filles s'appellent Lise et Chantal.
4. Les jeunes filles sont de Winnipeg.
5. Les garçons vont rester au Château Frontenac.

B. **Choisissez la réponse juste.**
1. Les garçons s'appellent
   a) Pierre et Jacques;
   b) Jean et Marcel;
   c) Marc et Guy.
2. Les jeunes filles étudient le français
   a) à l'école;
   b) à Montréal;
   c) à la maison.
3. Les jeunes filles sont avec un groupe
   a) d'acteurs;
   b) de professeurs;
   c) d'élèves.

C. **Remplacez les tirets par le mot juste.**
1. Les places en ＿＿＿＿＿＿＿des jeunes filles ne sont pas＿＿＿＿＿＿＿＿＿＿.
2. Barbara et Claire n'ont pas l'＿＿＿＿＿＿＿＿de ＿＿＿＿＿＿＿＿＿ français.
3. Le Château Frontenac est un grand＿＿＿＿＿＿＿très ＿＿＿＿＿＿＿＿＿.
4. Le carnaval de Québec est un des grands ＿＿＿＿＿＿ du＿＿＿＿＿＿＿＿＿.
5. Pendant le carnaval, il y a des courses en ＿＿＿＿＿＿ et des＿＿＿＿＿＿＿de hockey.

D. **Trouvez dans le texte l'équivalent de :**
1. un copain
2. une parade
3. désirer

E. **Trouvez dans le texte le contraire de :**
1. oui
2. peu
3. pauvre

F. **Trouvez dans le texte :**
1. deux villes canadiennes
2. une langue
3. trois parties de la journée

G. **Mettez ces mots en ordre pour former une bonne phrase.**
1. vous / comment / vous / appelez ?
2. il y a / festivités / jour / des / chaque.
3. filles / les / apprendre / français / de / beaucoup / vont / jeunes.

Mini-project

With the aid of an encyclopedia or other reference materials in your school library, prepare and present to the class a report on Quebec City. Remember to mention such aspects as history, location, population, major industries, etc.

Le Château Frontenac

III

Pendant le reste du voyage, les jeunes discutent de leurs projets pour le carnaval. Ce soir, ils vont visiter le Palais de Glace ensemble.

Enfin, le train arrive à la gare de Québec. Tout le monde descend sur le quai. Après cet après-midi avec Marc et Guy, 5 *les deux jeunes filles parlent déjà mieux le français.*

Barbara : Alors, à bientôt, Guy; à bientôt, Marc. Nous allons tout de suite à l'hôtel avec notre groupe.
Claire : À ce soir, alors.
Marc : Oui, à ce soir. Nous passons au Château Frontenac vers 10 huit heures. Puis nous allons au Palais de Glace ensemble.
Guy : À bientôt, Barbara; à bientôt, Claire.

Les jeunes filles partent pour l'hôtel avec leur groupe. Devant la gare, les élèves de Montréal prennent l'autobus pour le Manoir Louis-Jolliet. Dans l'autobus les garçons parlent de Barbara et 15 *de Claire.*

Guy : Qu'est-ce que tu penses de ces jeunes filles ?
Marc : Elles sont fantastiques. Surtout Barbara.
Guy : Oui, je sais que tu adores les blondes.
Marc : Non, je n'adore pas les blondes. J'adore *toutes* les jeunes 20 filles.
Guy : Moi aussi, je pense qu'elles sont formidables. Je suis certain qu'elles vont beaucoup aimer le carnaval.

---

bientôt : à bientôt — *see
  you later*
mieux — *better*
pendant — *during*

projet (m.) — *plan*
quai (m.) — *platform*
surtout — *especially*
tout le monde — *everyone*

Marc et Guy déposent leurs valises dans leur chambre à l'hôtel.
Puis, ils cherchent un petit restaurant pour manger un sandwich.
À huit heures, ils vont au Château Frontenac pour rencontrer
Barbara et Claire. Les deux jeunes filles attendent les garçons
dans le hall de l'hôtel. 5

Guy : Bon ! Tout le monde est prêt ?
Barbara : Oui, allons-y !
Marc : Allons voir d'abord la glissoire devant l'hôtel.
Claire : La glissoire ?
Marc : Oui, tu vas voir. C'est formidable ! 10

Les quatre amis font plusieurs tours sur la glissoire. Puis, ils
vont au Palais de Glace. Là, ils voient Bonhomme Carnaval, *le*
symbole du carnaval. Il est entouré de sept duchesses. *Ces*
belles filles représentent chacune une partie différente de la ville
de Québec. 15

Il y a une grande foule au Palais de Glace et tout le monde
s'amuse beaucoup.

À onze heures, les jeunes retournent au Château Frontenac.

Claire (Aux deux garçons) : Merci beaucoup ! Le Palais de
Glace est merveilleux. 20
Barbara : Et moi, j'adore la glissoire !
Guy : Demain, nous allons déjeuner ensemble, n'est-ce pas ?
Claire : Oui, c'est une excellente idée !
Marc : Nous vous rencontrons ici à midi. Ça va ?
Barbara : Oui, c'est parfait. 25
Marc et Guy : Alors, au revoir !
Barbara et Claire : À demain !

---

déjeuner — *to have lunch*
demain — *tomorrow*
déposer — *to leave*
entouré — *surrounded*
foule (f.) — *crowd*
glissoire (f.) — *slide*

le hall — *foyer*
parfait — *perfect*
prêt — *ready*
rencontrer — *to meet*
valise (f.) — *suitcase*

Exercices

A. **Vrai ou faux ?**

1. Pendant le voyage, Marc et Guy parlent avec Barbara et Claire.
2. Les garçons vont passer au Château Frontenac vers sept heures.
3. Marc aime surtout Claire.
4. Bonhomme Carnaval est le symbole du carnaval.
5. Les jeunes retournent au Château Frontenac à minuit.

B. **Choisissez la réponse juste.**

1. Ce soir les jeunes vont
   a) manger ensemble;
   b) partir pour Toronto;
   c) visiter le Palais de Glace.
2. Les élèves de Montréal vont à leur hôtel
   a) en autobus;
   b) en métro;
   c) à pied.
3. Les jeunes filles attendent Marc et Guy
   a) au restaurant;
   b) à la glissoire;
   c) à l'hôtel.

C. **Remplacez les tirets par le mot juste.**

1. Après l'_____ avec Marc et Guy, les jeunes _____ parlent déjà _____ le français.
2. L'autobus attend devant la _____.
3. Les duchesses représentent chacune une _____ différente de la _____.

D. **Trouvez dans le texte l'équivalent de :**
1. durant
2. finalement
3. immédiatement
4. sûr
5. fantastique

E. **Trouvez dans le texte le contraire de :**
1. le matin
2. derrière
3. peu
4. grand
5. détester

F. **Trouvez dans le texte :**
1. un moyen de transport
2. une langue
3. le symbole du carnaval

G. **Mettez ces mots en ordre pour former une bonne phrase.**
1. avec / l'hôtel / partent / groupe / leur / filles / les / jeunes / pour.
2. garçons / les / valises / déposent / leurs / chambre / leur / dans.
3. amis / glissoire / sur / les / font / tours / des / la.

IV

Les garçons retournent à leur hôtel. Le lendemain, à midi, ils vont au Château Frontenac pour rencontrer Barbara et Claire. Il fait très beau. Les jeunes filles attendent devant la porte de l'hôtel.

Claire : Salut, Marc ! Salut, Guy ! 5
Marc et Guy : Salut !
Barbara : J'ai faim ! Où est-ce que nous allons manger ?
Guy : Mon restaurant favori est tout près d'ici.
Claire : Comment s'appelle-t-il ?
Guy : Il s'appelle *Aux Anciens Canadiens.* 10
Marc : C'est un excellent restaurant dans une maison très ancienne.
Barbara : Eh bien, allons-y !

---

lendemain (m.) — *the next day*
près — *near*

Les quatre jeunes vont au restaurant à pied. Assis à une table, les garçons aident les jeunes filles à lire le menu. Guy recommande la tourtière, une spécialité québécoise. C'est une sorte de tarte, remplie de viande hachée épicée. Comme boisson, tout le monde commande du cidre. 5

Claire : La tourtière est délicieuse, Guy ! C'est un excellent choix.
Guy : Tout va très bien avec le cidre québécois, n'est-ce pas ?
Claire : Oui, il est très bon.
Marc : Pour le dessert il y a encore une bonne surprise québé- 10 coise.
Barbara : Qu'est-ce que c'est ?
Marc : C'est la tarte au sucre. Elle est faite avec du vrai sucre d'érable.

La serveuse arrive à la table. Marc commande quatre tartes au 15 *sucre. Puis les garçons s'excusent un moment pour aller à la toilette.*

À ce moment-là, trois hommes entrent et s'assoient à une table à côté de Barbara et de Claire. Ils commandent seulement trois tasses de café. 20

Les deux jeunes filles sont en train de discuter de l'excellent repas. Naturellement, elles parlent anglais.

---

assis — *seated*
boisson (f.) — *beverage*
côté : à côté de — *beside*
épicé — *spiced*
haché — *ground*
lire — *to read*
rempli — *filled*

repas (m.) — *meal*
serveuse (f.) — *waitress*
sucre (m.) d'érable — *maple sugar*
tarte (f.) — *pie*
viande (f.) — *meat*

Un des hommes à la table voisine semble très nerveux.

L'homme nerveux :   Alors, c'est décidé.   Ce soir, nous allons
   l'assassiner.
Le deuxième homme (Furieux; il indique Barbara et Claire.)   :
   Tu es fou, Henri ?   Ferme ta gueule !   Nous ne sommes 5
   pas seuls.
Henri :   C'est toi qui es fou, Jacques !   Ce sont des Anglaises.
   Elles ne comprennent rien.   Ce soir, nous allons tuer notre
   homme. C'est décidé !   *(Il se tourne vers le troisième
   homme.)* Tout est prêt, n'est-ce pas, Pierre ?   10
Pierre :   Oui, tout est prêt pour la parade ce soir. Et Henri a raison.
   Arrêtez les disputes !   Les deux petites imbéciles parlent de
   leur repas.   Nous, nous avons des décisions importantes à
   prendre.
Jacques :   Bon. C'est pour ce soir, alors ?   15
Pierre :   C'est ça, pendant le défilé.   Il va être sur le char avec
   le Bonhomme Carnaval et les duchesses.
Henri :   Tu as les revolvers, Pierre ?
Pierre :   Bien sûr !
Henri :   On va tirer vite et disparaître dans la foule.   20
Jacques :   Bon.   Quels sont les autres détails ?

---

char (m.) — *float*
défilé (m.) — *parade*
disparaître — *to disappear*
fou — *crazy*
furieux — *furious*

gueule : ferme ta gueule
   shut up
tirer — *to shoot*
tuer — *to kill*
voisin — *adjacent*

25

Exercices

A. Vrai ou faux ?

1. Les garçons rencontrent Barbara et Claire à la gare.
2. *Aux Anciens Canadiens* est le nom d'un restaurant.
3. La tourtière est une spécialité anglaise.
4. Les trois hommes commandent du café.
5. Jacques est très nerveux.

B. Choisissez la réponse juste.

1. Les jeunes vont au restaurant
   a) à bicyclette;
   b) à pied;
   c) en auto.

2. Comme boisson, tout le monde commande
   a) du cidre;
   b) du thé;
   c) du lait.

3. Ce soir, les trois hommes vont
   a) parler avec le Bonhomme Carnaval;
   b) tuer quelqu'un;
   c) partir pour Montréal.

C. Remplacez les tirets par le mot juste.

1. Les garçons ＿＿＿＿＿＿＿＿＿＿ les jeunes filles à ＿＿＿＿＿＿＿＿＿ le menu.
2. Pour le ＿＿＿＿＿＿＿＿＿, Marc commande quatre ＿＿＿＿＿＿＿＿＿ au sucre.
3. Les trois hommes vont tirer ＿＿＿＿＿＿＿＿＿ et disparaître dans la ＿＿＿＿＿＿＿＿＿.

D. Trouvez dans le texte l'équivalent de :
1. un instant
2. fâché
3. le défilé
4. durant
5. certainement

E. Trouvez dans le texte le contraire de :
1. derrière
2. moderne
3. debout
4. calme
5. tout

F. Trouvez dans le texte :
1. un hôtel
2. une partie du corps
3. une boisson

G. Mettez ces mots en ordre pour former une bonne phrase.
1. beau / il / très / fait.
2. délicieuse / est / la / tourtière.
3. Pierre / revolvers / les / a.

V

Pendant ce temps Barbara et Claire parlent toujours ensemble, mais elles écoutent aussi la conversation des trois hommes. Les mots assassiner, revolver *et* parade *ne sont pas difficiles à comprendre.*

Après quelques minutes, la serveuse apporte les desserts et Guy et 5 *Marc reviennent à la table. Les trois hommes sont maintenant absorbés dans leur conversation et parlent très bas.*

Marc (À Barbara et Claire) : Vous n'aimez pas la tarte au sucre ?
    Vous êtes très pâles.
Claire (Très bas; sa voix tremble.) : Marc, Guy, écoutez !   10
    Vous voyez les hommes à la table voisine ?
Guy : Oui. Pourquoi ?
Barbara : Parce qu'ils vont assassiner quelqu'un !
Claire : Ils ont des revolvers et ils vont tuer quelqu'un ce soir !

---

bas — *low*
écouter — *to listen to*

La Gendarmerie royale, Québec

Marc : C'est incroyable ! Mais qui vont-ils assassiner ?

Barbara : Nous ne savons pas, mais ils vont le faire pendant le défilé ce soir.

Claire : La personne qu'ils vont tuer va être sur un char avec le Bonhomme Carnaval.   5

Guy (Il est très pâle.) Tu es certaine ?

Claire : Absolument.

Marc : Mon Dieu, c'est le Premier Ministre du Canada ! Ils vont assassiner le Premier Ministre !

À ce moment-là les trois hommes se lèvent pour sortir.   10

Claire : Mon Dieu, ils partent ! Il faut avertir la police !

Marc : Oui, il faut avertir la Gendarmerie royale. Toi, Guy, tu vas suivre ces hommes. Après, viens au Château Frontenac. Barbara, Claire et moi, nous allons tout de suite à la Gendarmerie royale.   15

---

avertir — *to warn*

faut : il faut — *we must*

Gendarmerie (f.) royale — *R.C.M.P.*

incroyable — *incredible*

suivre — *to follow*

tout de suite — *immediately*

Exercices

A. Vrai ou faux ?

1. Barbara et Claire écoutent la conversation des trois hommes.
2. Les trois hommes vont tuer quelqu'un dans le restaurant.
3. Les jeunes vont avertir la Gendarmerie royale.

B. Choisissez la réponse juste.

1. Les trois hommes ont
   a) une bombe;
   b) des couteaux;
   c) des revolvers.
2. Les trois hommes vont tuer
   a) Bonhomme Carnaval;
   b) le Premier Ministre;
   c) Barbara et Claire.
3. Guy va
   a) suivre les hommes;
   b) payer l'addition;
   c) avertir la police.

C. Remplacez les tirets par le mot juste.

1. Les jeunes filles écoutent la _____
   des trois _____.
2. Les hommes vont _____ quelqu'un
   pendant le _____.
3. Les amis vont à la _____ royale.

D. Trouvez dans le texte l'équivalent de :
1. sûr
2. il est nécessaire
3. immédiatement

E. Trouvez dans le texte le contraire de :
1. facile
2. avant
3. sous

F. Trouvez dans le texte :
1. une arme à feu
2. le symbole du carnaval
3. le chef du gouvernement canadien

G. Mettez ces mots en ordre pour former une bonne phrase.
1. filles / les / jeunes / pâles / très / sont.
2. desserts / serveuse / la / les / apporte.
3. sortir / pour / trois / les / se / lèvent / hommes.

Mini-project

With the aid of an encyclopedia or other reference materials
in your school library, prepare and present to the class a
report on the Royal Canadian Mounted Police.

Basilique de Québec

VI

Les trois hommes sortent du restaurant. Quelques secondes après, Guy sort pour les suivre. Marc, Barbara et Claire paient l'addition et vont directement à la rue Ernest-Gagnon où sont situés les bureaux de la Gendarmerie royale. Après une attente de quelques minutes, ils se trouvent dans une petite salle avec les 5 inspecteurs Tremblay et Dubé.

Tremblay (Très sérieux) : Alors, quelle est cette histoire d'assassinat ? Vite, nous n'avons pas de temps à perdre.

Dans leur meilleur français, Barbara et Claire racontent la conversation des trois hommes du restaurant. Après un court 10 silence, l'inspecteur Dubé place une feuille de papier devant les jeunes.

Dubé : Lisez cela.

---

addition (f.) — *bill*
assassinat (m.) — *assassination*
attente (f.) — *wait*
jeunes (m. pl.) — *young people*

Le Palais de Glace

Devant eux, les amis voient une lettre faite avec des caractères découpés dans un journal, collés sur le papier.

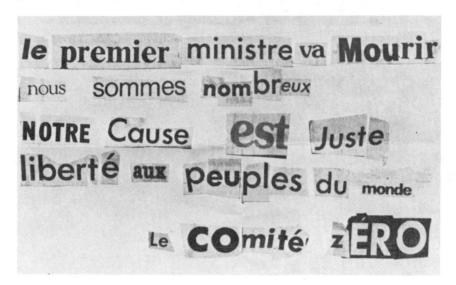

Marc : Alors, c'est sérieux.

Tremblay : Oui, très sérieux.

Claire : Mais qu'est-ce que c'est, le *Comité Zéro* ? 5

Dubé : C'est un groupe de fanatiques. Ils sont armés et très dangereux.

Tremblay : Leur mission est d'assassiner des politiciens, surtout des Présidents et des Premiers Ministres. Comme cela, ils pensent qu'ils vont libérer les peuples du monde. 10

Barbara : Mais, c'est fou !

Dubé : Oui, et voilà pourquoi ils sont si dangereux.

Tremblay : Vous dites que votre copain suit ces hommes maintenant ?

Marc : Oui, monsieur l'inspecteur. 15

Tremblay : Alors, il faut le trouver aussi vite que possible. Sa vie est en danger.

---

collé — *glued*
copain (m.) — *friend*
découpé — *cut out*
fou — *crazy*

journal (m.) — *newspaper*
peuple (m.) — *people*
trouver — *to find*
vie (f.) — *life*

Exercices

A. **Vrai ou faux ?**
   1. Guy suit les trois hommes.
   2. Les inspecteurs s'appellent Clouseau et Dubois.
   3. Barbara et Claire parlent anglais avec les inspecteurs.
   4. Le Comité Zéro est un groupe de fanatiques.
   5. Le Comité Zéro n'est pas dangereux.

B. **Choisissez la réponse juste.**
   1. Marc, Barbara et Claire vont directement
      a) aux bureaux de la Gendarmerie royale;
      b) à l'hôtel;
      c) au Palais de Glace.
   2. Le Comité Zéro va tuer le Premier Ministre
      a) avant le carnaval;
      b) après le carnaval;
      c) pendant le carnaval.
   3. Selon l'inspecteur Tremblay, il faut
      a) avertir le Bonhomme Carnaval;
      b) assassiner les trois hommes;
      c) trouver Guy.

C. Remplacez les tirets par le mot juste.
1. Marc, Barbara et Claire paient l' _____ .
2. L'inspecteur Dubé place une _____ de
   papier devant les _____ .
3. Le Comité Zéro veut libérer les _____
   du _____ .

D. Trouvez dans le texte l'équivalent de :
1. mettre
2. un ami
3. il est nécessaire

E. Trouvez dans le texte le contraire de :
1. entrer
2. lentement
3. long
4. vivre
5. impossible

F. Mettez ces mots en ordre pour former une bonne phrase.
1. sortent / les / du / trois / hommes / restaurant.
2. fanatiques / les / sont / et / armés / dangereux.

La Porte Saint-Jean

VII

Les jeunes donnent des descriptions détaillées des trois hommes aux inspecteurs. Puis, tout le monde part ensemble pour chercher Guy au Château Frontenac.

Barbara : Le voilà ! Devant la porte de l'hôtel !

Guy voit ses amis en même temps et court vers eux.   5

Guy (Essoufflé et très excité) : Je sais où ! Je sais où !

Les deux inspecteurs se présentent. Tremblay prend Guy par les épaules.

Tremblay : Calme-toi, Guy ! Calme-toi ! Qu'est-ce que tu sais ?
Commence par le commencement.   10

---

courir — *to run*
détaillé — *detailed*
épaule (f.) — *shoulder*
essoufflé — *out of breath*

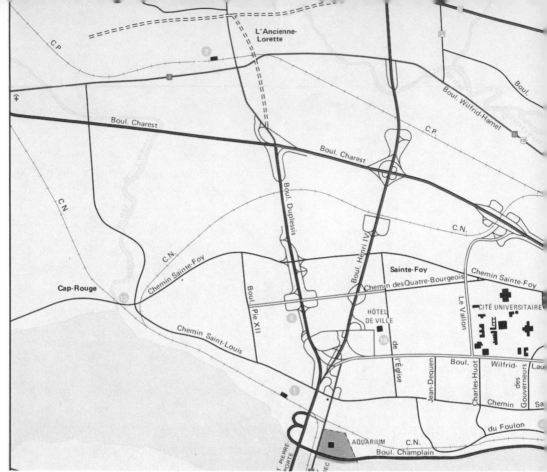

Guy : Oui, oui, pardon ! Alors, je sors du restaurant après les hommes. Ils vont directement à la Porte Saint-Jean. Ils restent là quinze minutes. Un des hommes, le plus grand, indique la rue Saint-Jean. Il est évident qu'il donne des instructions à ses complices. 5

Dubé : Est-ce que c'est tout ?

Guy : Non ! Puis, les trois hommes règlent leurs montres. Enfin le plus grand donne un paquet à chacun de ses complices. Après cela, chaque homme quitte la Porte Saint-Jean dans une direction différente. 10

Barbara : Guy, tu es formidable !

Dubé : Oui, leurs intentions sont évidentes maintenant. J'admire

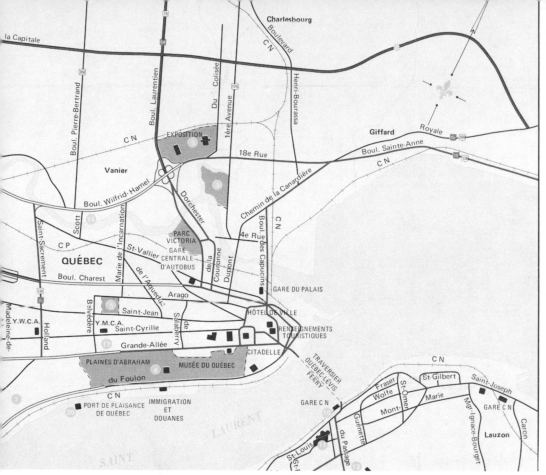

ton courage, Guy.

Marc : Alors, les assassins vont essayer de tuer le Premier Ministre
ce soir quand le défilé passe par la Porte Saint-Jean. 15

Tremblay : Exactement, Marc. Et le défilé doit passer par là
vers huit heures.

Dubé : Et nous préparons une petite surprise pour le Comité
Zéro.

Guy : Quelle surprise, monsieur l'inspecteur ?   20

Dubé : Tu vas voir ... tu vas voir.

Tremblay (Aux jeunes) : Vous pouvez reconnaître ces hommes
facilement. Alors, nous avons besoin de votre aide ce soir.

Barbara : Certainement, monsieur l'inspecteur.

---

besoin : avoir besoin de —
  to need
complice (m.) — *accomplice*
facilement — *easily*

reconnaître — *to recognize*
régler — *to set*
rester — *to remain*
tuer — *to kill*

Exercices

A. **Vrai ou faux ?**
  1. Tout le monde cherche Guy au Palais de Glace.
  2. Guy est très excité.
  3. Les trois hommes vont directement au Château Frontenac.
  4. Les assassins vont essayer de tuer le Premier Ministre
     à la Porte Saint-Jean.
  5. Le défilé passe par la Porte Saint-Jean vers six heures.

B. **Choisissez la réponse juste.**
  1. Barbara voit Guy
     a) au restaurant;
     b) devant l'hôtel;
     c) à la Porte Saint-Jean.
  2. Les assassins vont essayer de tuer le Premier Ministre
     a) ce soir;
     b) demain soir;
     c) la semaine prochaine.
  3. Les inspecteurs préparent
     a) un dîner pour les jeunes;
     b) une lettre au Premier Ministre;
     c) une surprise pour les assassins.

C. **Remplacez les tirets par le mot juste.**

1. L'_____ Tremblay prend Guy par les
   _____ .

2. Le plus grand homme donne des_____
   à ses_____ .

3. Les jeunes peuvent_____les hommes
   facilement.

D. **Trouvez dans le texte l'équivalent de :**

1. montrer
2. finalement
3. fantastique
4. la parade
5. précisément

E. **Trouvez dans le texte le contraire de :**

1. calme
2. la fin
3. petit
4. le matin
5. difficilement

F. **Mettez ces mots en ordre pour former une bonne phrase.**

1. Guy / amis / ses / voit / vers / eux / et / court.
2. hommes / les / quinze / Porte Saint-Jean / la / à /
   restent / minutes.
3. jeunes / aider / les / vont / les / inspecteurs.

VIII

À sept heures et demie, il y a déjà une grande foule à la Porte Saint-Jean. Il fait froid mais tout le monde est de bonne humeur.

L'inspecteur Tremblay est là avec les quatre jeunes amis. Il a un petit mobilophone à la main. Il est en contact constant avec des centaines de policiers le long de la route du défilé. Peut-être 5 que le Comité Zéro ne va pas attaquer à la Porte Saint-Jean. Il peut frapper n'importe où.

Sur les toits, des agents surveillent la foule avec des jumelles.

Tremblay (Aux jeunes) : Est-ce que vous voyez les hommes ?
Guy : Non. Pas encore.   10
Claire : C'est très difficile. La foule est grande.

---

centaines (f. pl.) — *hundreds*
défilé (m.) — *parade*
foule (f.)   *crowd*
frapper — *strike*
froid — *cold*
importe : n'importe où — *anywhere*

jumelles (f. pl.) — *binoculars*
mobilophone (m.) — *walkie-talkie*
policier (m.) — *policeman*
surveiller — *to observe*
toit (m.) — *roof*

À huit heures moins le quart, c'est la même chose. Rien. À huit heures moins cinq, toujours rien. Il y a une tension presque électrique parmi les agents de police. Même l'inspecteur Tremblay est nerveux.

À huit heures, on entend de la musique et le premier char du 5
défilé passe par la Porte Saint-Jean. Guy, Marc, Barbara et Claire regardent la foule désespérément. Rien.

Tout à coup, la foule commence à applaudir. Le char avec le Bonhomme Carnaval, les duchesses et le Premier Ministre arrive. Le Bonhomme Carnaval a le bras autour des épaules du Premier 10
Ministre. Ils saluent la foule.

Le char passe la Porte Saint-Jean. Soudain, du coin de l'œil, Barbara voit un mouvement rapide. Près d'elle il y a trois hommes qui portent des masques de ski. Ils lèvent le bras en même temps. Ils ont des revolvers à la main. 15

Barbara : Les voilà ! Les voilà !

---

applaudir — *to applaud*	entendre — *to hear*
autour (de) — *around*	œil (m.) — *eye*
bras (m.) — *arm*	rien — *nothing*
char (m.) — *float*	saluer — *to greet*
coin (m.) — *corner*	soudain — *suddenly*
désespérément — *in despair*	tout à coup — *suddenly*

La Porte Saint-Jean en 1871

Exercices

A. **Vrai ou faux ?**
   1. Il fait froid pendant le carnaval.
   2. L'inspecteur Tremblay est seul à la Porte Saint-Jean.
   3. À sept heures et demie, Guy voit les trois hommes.
   4. À huit heures, le premier char du défilé passe par la Porte Saint-Jean.
   5. Les trois hommes portent des masques de ski.

B. **Choisissez la réponse juste.**
   1. À la main, l'inspecteur Tremblay a
      a) un revolver;
      b) des jumelles;
      c) un petit mobilophone.
   2. L'inspecteur Tremblay est
      a) nerveux;
      b) fâché;
      c) calme.
   3. Le Premier Ministre est sur le char avec
      a) le Comité Zéro;
      b) le Bonhomme Carnaval;
      c) l'inspecteur Tremblay.

C. **Remplacez les tirets par le mot juste.**
   1. Tout le _____ est de _____ humeur.
   2. Des _____ surveillent la foule avec des
      _____.
   3. Les trois _____ lèvent le bras en même
      _____.

D. Trouvez dans le texte l'équivalent de :
1. jamais
2. soudain
3. vite

E. Trouvez dans le texte le contraire de :
1. chaud
2. facile
3. dernier

F. Trouvez dans le texte :
1. deux parties du corps
2. un sport
3. une arme à feu

G. Mettez ces mots en ordre pour former une bonne phrase.
1. Comité Zéro / le / frapper / peut / où / n'importe.
2. commence / foule / la / à / applaudir.
3. les / Barbara / voit / hommes / trois.

IX

Instinctivement, Barbara pousse un des assassins contre les deux
autres. Aussitôt, Marc et Guy saisissent le plus grand des hommes.
Les assassins sont rapidement entourés de policiers qui leur pas-
sent les menottes. Quelques instants plus tard, ils sont en route
pour le poste de police.   5

Barbara (À l'inspecteur Tremblay) : Est-ce que quelqu'un est
    blessé ?
Tremblay : Non, grâce à toi et à tes amis. Le défilé continue.
    Les gens pensent que l'incident est une des plaisanteries
    habituelles du carnaval.   10
Marc : Mais où est l'inspecteur Dubé ? Il manque toute l'action.
Tremblay (Souriant) : Au contraire, Marc, il ne manque rien.
    Regarde bien le char avec le Premier Ministre.

---

aussitôt — *immediately*
blessé — *wounded*
grâce à — *thanks to*
manquer — *to miss*
menottes (f. pl.) — *handcuffs*

plaisanterie (f.) — *joke*
pousser — *to push*
saisir — *to seize*
tard : plus tard — *later*

Sur le char, le Bonhomme Carnaval salue l'inspecteur Tremblay et les jeunes amis.

Claire : Mais, ce n'est pas possible...

Tremblay : Mais si ! Ce soir, le Bonhomme Carnaval, c'est l'inspecteur Dubé ! 5

Guy : C'est formidable !

Tremblay : Et maintenant, mes jeunes amis, qu'est-ce que vous allez faire avec la récompense ?

Guy : La récompense ? Quelle récompense ?

Tremblay : Il y a une récompense de vingt mille dollars pour 10 l'arrestation des membres du Comité Zéro.

Claire : C'est fantastique ! Ça fait $ 5 000 chacun. Pour des vêtements, des disques, des ...

Marc : Formidable ! Je vais acheter une belle motoneige !

Guy : Et moi, une motocyclette ! 15

Dubé : Et toi, Barbara. Qu'est-ce que tu vas faire avec tes $ 5 000 ?

Barbara : Moi, c'est facile ! Je vais revenir au carnaval de Québec chaque année, toute ma vie !

F I N

---

arrestation (f.) — *arrest*
motoneige (f.) — *snowmobile*
récompense (f.) — *reward*
vêtements (m. pl.) — *clothes*
vie (f.) — *life*

Exercices

A. **Vrai ou faux ?**
   1. Les assassins tirent et disparaissent dans la foule.
   2. L'inspecteur Tremblay est blessé.
   3. L'inspecteur Dubé joue le rôle du Bonhomme Carnaval.
   4. Il y a une récompense pour l'arrestation du Comité Zéro.
   5. Marc va acheter une motocyclette.

B. **Choisissez la réponse juste.**
   1. Marc et Guy saisissent
      a) Barbara et Claire;
      b) un des assassins;
      c) l'inspecteur Tremblay.
   2. L'inspecteur Dubé est
      a) sur le char;
      b) dans la foule;
      c) au bureau.
   3. La récompense est de
      a) cinq mille dollars;
      b) vingt mille dollars;
      c) dix mille dollars.

C. **Remplacez les tirets par le mot juste.**
   1. Les _____ passent des _____
      aux assassins.
   2. Marc pense que l'_____ Dubé manque
      toute l'_____.
   3. Barbara va _____ au carnaval chaque
      _____, toute sa _____.

D. **Trouvez dans le texte l'équivalent de :**
1. immédiatement
2. vite
3. fantastique

E. **Trouvez dans le texte le contraire de :**
1. impossible
2. le matin
3. difficile

F. **Mettez ces mots en ordre pour former une bonne phrase.**
1. assassins / vont / les / poste de police / au.
2. char / est / sur / le / Premier Ministre / le.
3. Marc / acheter / une / va / motoneige.

G. **Ajoutez au nom de la personne dans la colonne de gauche des compléments de la colonne de droite :**

Marc	1. a les cheveux blonds
Guy	2. est sur le char avec le Premier
Barbara	Ministre
Claire	3. veut assassiner le Premier Ministre
L'inspecteur Tremblay	4. suit les assassins
L'inspecteur Dubé	5. a les cheveux bruns
Le Comité Zéro	6. adore la glissoire
	7. montre une lettre aux jeunes
	8. veut libérer les peuples du monde
	9. veut acheter des vêtements et des disques
	10. veut revenir au carnaval toute sa vie

Mots croisés

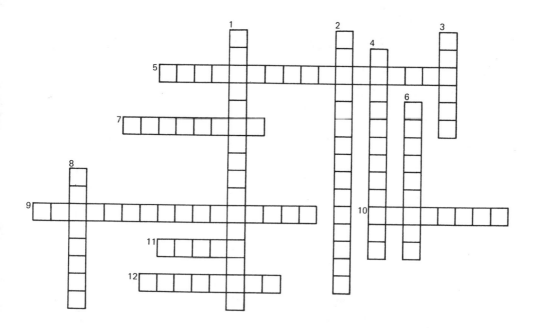

Verticalement

1. un hôtel à Québec
2: le chef du gouvernement canadien
3. une province canadienne
4. un moyen de transport à deux roues
6. une sorte de tarte québécoise
8. la plus grande ville du Québec

Horizontalement

5. la police fédérale canadienne
7. un grand festival canadien
9. le symbole du carnaval
10. un inspecteur de la Gendarmerie Royale
11. beaucoup de personnes
12. une langue

Questions écrites supplémentaires

I   1.   Quel âge ont Marc et Guy ?

      2.   Où habitent Marc et Guy ?

      3.   Où vont les garçons aujourd'hui ?

      4.   Qu'est-ce qui indique que le carnaval de Québec est très populaire ?

      5.   Dans le train, où est-ce que les garçons trouvent des places libres ?

      6.   Quel âge ont les deux jeunes filles ?

II   1.   Où vont les jeunes filles ?

      2.   Comment s'appellent les deux jeunes filles ?

      3.   D'où sont les jeunes filles ?

      4.   Qu'est-ce que les jeunes filles étudient à l'école ?

      5.   Où est-ce que Barbara et Claire vont rester à Québec ?

      6.   Qu'est-ce que c'est que le Manoir Louis-Jolliet ?

      7.   Qu'est-ce qu'il y a à voir pendant le carnaval ? (Quatre choses)

      8.   Pendant le carnaval, qu'est-ce que les garçons vont être pour les jeunes filles ?

III 1. Qu'est-ce que les jeunes vont visiter ce soir ?
   2. Vers quelle heure est-ce que Marc et Guy vont passer au Château Frontenac ?
   3. Qu'est-ce que Marc pense de Barbara et de Claire ?
   4. Où est-ce que les jeunes filles attendent Marc et Guy ?
   5. Où vont les amis avant d'aller au Palais de Glace ?
   6. Qu'est-ce que c'est que le Bonhomme Carnaval ?
   7. Qu'est-ce que les duchesses représentent ?
   8. Qu'est-ce que Claire pense du Palais de Glace ?
   9. Qu'est-ce que les jeunes vont faire ensemble demain ?
   10. À quelle heure est-ce que les garçons vont rencontrer les jeunes filles demain ?

IV 1. Où est-ce que les jeunes vont manger ?
   2. Qu'est-ce que Guy recommande au restaurant ?
   3. Qu'est-ce que Marc commande comme dessert ?
   4. Quand les garçons s'excusent, qui entre dans le restaurant ?
   5. Qu'est-ce que les hommes vont faire ce soir ?
   6. Quand est-ce qu'ils vont tuer cet homme ?
   7. Avec quoi vont ils tuer cet homme ?

V 1. Qu'est-ce que Barbara et Claire écoutent ?
   2. Quand les garçons retournent à la table, comment sont Barbara et Claire ?
   3. Selon Marc, qui est-ce que les hommes vont assassiner ?
   4. Qui est-ce que les jeunes vont avertir ?
   5. Qu'est-ce que Guy va faire ?

VI 1. Où vont Marc, Barbara et Claire ?
   2. Comment s'appellent les deux inspecteurs ?
   3. Quelle est la mission du Comité Zéro ?
   4. Qui suit les assassins maintenant ?
   5. Pourquoi est-ce qu'il faut trouver Guy aussi vite que possible ?

VII 1. Qu'est-ce que les jeunes donnent aux inspecteurs ?
2. Où est-ce que tout le monde trouve Guy ?
3. Selon Guy, où vont les hommes en sortant du restaurant ?
4. Qu'est-ce que le plus grand homme donne à ses complices ?
5. Où et quand est-ce que les assassins vont essayer de tuer le Premier Ministre ?
6. Pourquoi est-ce que les inspecteurs ont besoin des jeunes ce soir ?

VIII 1. Qui est avec les quatre jeunes à la Porte Saint-Jean ?
2. Pourquoi est-ce que l'inspecteur Tremblay a un mobilophone à la main ?
3. Que font les agents sur les toits ?
4. Pourquoi est-ce qu'il est difficile de trouver les assassins ?
5. Pourquoi est-ce que la foule commence à applaudir ?
6. Que font le Bonhomme Carnaval et le Premier Ministre ?
7. Que portent les trois hommes près de Barbara ?
8. Qu'est-ce qu'ils ont à la main ?

IX 1. Que fait Barbara quand elle voit les hommes ?
2. Qui saisit le plus grand des hommes ?
3. Que font les policiers ?
4. Qu'est-ce que les gens pensent de l'incident ?
5. Qui est le Bonhomme Carnaval ce soir ?
6. Quelle est la récompense pour l'arrestation des membres du Comité Zéro ?
7. Qu'est-ce que Claire veut acheter avec sa part de la récompense ?
8. Qu'est-ce que Marc veut acheter ?
9. Qu'est-ce que Guy veut acheter ?
10. Qu'est-ce que Barbara veut faire avec son argent ?

Lexique

Abréviations employées dans ce lexique :
  f. — féminin
  m. — masculin
  pl. — pluriel

A

acheter — *to buy*
année (f.) — *year*
applaudir — *to applaud*
arme (f.) à feu — *firearm*
arrêter — *to stop*
attendre — *to wait (for)*
avant — *before*

B

billet (m.) — *ticket*
blessé — *wounded*
boisson (f.) — *drink*
bras (m.) — *arm*

C

chaque — *each*
chaud — *hot*
cheveux (m. pl.) — *hair*
choisir — *to choose*
commander — *to order*
comprendre — *to understand*
contraire (m.) — *opposite*
copain (m.) — *friend, chum*
court — *short*
couteau (m.) — *knife*

D

debout — *standing*
déjà — *already*
demain : à demain — *see you tomorrow*
derrière — *behind*
détaillé — *detailed*
difficilement — *with difficulty*
droite — *right*
durant — *during*

E

école (f.) — *school*
également — *also*
enfin — *finally*
ensemble — *together*
environ — *approximately*
eux — *them*

F

fâché — *angry*
facile — *easy*
faim : avoir faim — *to be hungry*
fameux — *famous*
faux — *false*
feuille (f.) — *sheet*
fin (f.) — *end*
foule (f.) — *crowd*

G

gauche — *left*
gens (m. pl.) — *people*
glissoire (f.) — *slide*

H

habiter — *to live in*
humeur : de bonne humeur — *happy*

J

jamais — *never*
journée (f.) — *day*
juste — *correct*

L

langue (f.) — *language*

lentement — *slowly*
se lever — *to get up*

M

matin (m.) — *morning*
meilleur — *best*
même — *same*
merveilleux — *marvelous*
métro (m.) — *subway*
mettre — *to place, put*
midi — *noon*
minuit — *midnight*
mois (m.) — *month*
montre (f.) — *watch*
mot (m.) — *word*
moyen (m.) — *means*

N

nerveux — *nervous*

P

partie (f.) — *part*
pauvre — *poor*
pendant — *during*
penser — *to think*
perdre — *to lose*
peu — *little*
pied : à pied — *on foot*
phrase (f.) — *sentence*
plusieurs — *several*
précisément — *precisely*
près : à peu près — *approximately*
prêt — *ready*
prochain — *next*
puis — *then*

R

récompense (f.) — *reward*
réponse (f.) — *answer*
rester — *to stay*
revenir — *to return, come back*
roue (f.) — *wheel*

S

salut ! — *hi !*
sans — *without*
selon — *according to*
semaine (f.) — *week*
seul — *alone*
soir (m.) — *evening*
sortir — *to leave*
soudain — *suddenly*
sûr — *sure, certain;* bien sûr — *of course*

T

tasse (f.) — *cup*
thé (m.) — *tea*
tiret (m.) — *blank*
tour (m.) — *turn*
tourtière (f.) — *meat pie*
tout — *all*
trouver — *to find*

V

vers — *towards*
vide — *empty*
vieux, vieille — *old*
vivre — *to live*
voir — *to see*
vrai — *true*
vraiment — *really*